D1516506

Un mythe contemporain :
Le dialogue des civilisations

5
2/22

Régis Debray

Un mythe contemporain : le dialogue des civilisations

CNRS ÉDITIONS
15, rue Malebranche - 75005 Paris

AVANT-PROPOS

« Tout parti vit de sa mystique et meurt de sa politique » : le mot de Péguy prit comme une résonance nouvelle, médiumnique, ce soir du 28 juin 2007 où Régis Debray, sous la voûte étoilée du ciel de Séville que découvrait le dôme du pavillon Hassan II, prononça la conférence inaugurale du deuxième Atelier culturel. En une heure, ou à peine plus, l'auteur de *Dieu, un itinéraire*, du *Feu sacré*, des *Communions humaines* devait ébranler les bienveillantes certitudes des deux cents intellectuels, experts, militants, venus des quatre coins de la Méditerranée à l'invitation de la Fondation des Trois Cultures, au point que leurs travaux, les jours suivants, allaient beaucoup lui emprunter.

Pourquoi et comment ce discours andalou, donné à deux pas de la mythique Cordoue et à rebours toute de l'Andalousie rêvée, marque-t-il un tournant, en effet crucial, dans la pensée de l'après 11 Septembre ?

Un rappel, d'abord. À l'automne 2005, perce la faille du processus de Barcelone : la culture est première et l'affaire des caricatures en est la démonstration convulsive. Vertigineux oubli que la France entend réparer. Le président Chirac confie alors à l'ambassadeur Jacques Huntzinger la mission de convoquer des assises qui, par delà le seul horizon politique ou économique, rassembleront les intelligences des deux rives. Autant dire qu'il s'agit de contrer ce que la thèse de Samuel Huntington sur le « choc des civilisations » peut avoir de prophétie auto-réalisée. Sur un an, en trois rencontres, et en trois lieux symboliques, l'« Atelier culturel Europe-Méditerranée-Golfe. Dialogue des peuples et des cultures » doit dégager une relation neuve entre le Nord et le Sud. Ce sera donc Paris, et le centre du ministère des Affaires étrangères de l'avenue Kléber, du 13 au 15 septembre 2006. Puis Séville, et la Fondation des Trois Cultures, sous la présidence d'André Azoulay et la direction de Mohammed Ennadji, du 28 au 30 juin 2007. En attendant Alexandrie et sa bibliothèque, courant décembre de la même année.

Mais qu'est-ce qu'un dialogue ?

Et qu'est-ce qu'une culture ?

Il revenait à Régis Debray de questionner nos imaginaires et nos imageries sur le devenir du monde à l'heure de la mondialisation, à ce point extrême où la politique se meurt, précisément, non pas de l'absence, mais de l'excès de mystique.

Que nos hôtes de Séville soient ici remerciés de l'hospitalité qu'ils ont su accorder à cette parole intempestive. Et puisse le lecteur se reconnaître, à son tour, dans la saine inconsolation qui l'habite et la justifie.

L'éditeur

I

Chers amis,

Loués soient nos amphitryons pour la liberté de ton à laquelle ils nous invitent. Nous avons grâce à eux la chance de n'être pas ici des porte-parole, représentants qualifiés de hautes institutions, astreints par la bienséance à des cérémonials de bon aloi. On peut donc s'offrir ce luxe : dire tout haut ce qui se pense tout bas. Eh bien, oui, avouons-le. Si le rôle des cérémonies est d'aider les hommes à ne pas trop s'entretuer – il suffit de lire le journal ou d'ouvrir la télé pour s'interroger sur l'utilité de nos forums, symposiums, colloques, sommets, conférences, rencontres, commissions, plate-forme, et j'en passe. Faut-il rappeler les caricatures de Mahomet ?

L'après-discours de Benoît XVI à Ratisbonne ? Le meurtre de Théo Van Gogh à Amsterdam ? Les hécatombes en Irak, les tueries en Afghanistan, et les meurtres confessionnels en Turquie ? La montée au nord, chez nous aussi, des xénophobies, jalousies communautaires et concurrences victimaires ? La rue ne tient apparemment aucun compte de nos sempiternelles exhortations à la paix, tolérance et fraternité. D'où un scepticisme montant. Fatigue. Stérilité. Usure. Simagrée. Complaisances et redondances. Tels sont les sentiments, de moins en moins tacites, qu'inspire désormais aux esprits tant soit peu exigeants ce *dialogue des cultures* aussi fastidieux que célébré, aussi prévisible qu'imprévoyant, devant le peu d'influence de nos liturgies semestrielles, parfois photogéniques, sur le cours des choses. Voilà l'état des lieux, du moins psychologiques. Pas un champ de décombres, ce qui supposerait des constructions préalables. Plutôt des sables mouvants, d'où rien ne sort, où tout s'enlise.

Il nous faut partir de ce constat, en toute sérénité, si l'on veut éviter que ne s'instaure à la longue une sorte de théâtre à double foyer où sur une scène illuminée une troupe de brillants professionnels du dialogue pour le dialogue (l'alter ego diplomatique de l'art pour l'art) viendrait débiter d'édifiantes tirades – dans ces stations spatiales au sol que sont nos grands hôtels, mais sans avoir à vivre durablement ensemble – tandis que sur une scène obscure mais infiniment plus peuplée, ceux qui sont appelés à vivre côte à côte sans dialoguer, continueraient de se tirer dessus comme par devant. De mauvais coucheurs ne manqueraient pas d'ajouter que cette double scène matérialise un double jeu à toute épreuve. Ne voit-on pas le « deux poids deux mesures » occidental, qui sait fort bien distinguer, parmi les résolutions obligatoires des Nations unies, celles qui doivent s'appliquer et celles qui doivent s'oublier, s'accompagner de sermons sur l'universalité des Droits de l'Homme ? Pourquoi l'écrasement quotidien des cultures dites marginales ou minoritaires par les industries culturelles du Centre ne pourrait-elle s'accompagner de généreuses proclamation de reconnaissance « de l'égale dignité et du respect de toutes les cultures, y compris celles des peuples autochtones » ? Quand la chose manque, c'est le mot qu'il faut mettre. Après feue « la religion opium du peuple », devra-t-on considérer demain la « théologie civile du dialogue » comme l'opium des élites ? Les gouvernements n'ont que trop tendance à se décharger sur le religieux des problèmes politiques qu'ils n'osent pas traiter politiquement – en Europe, intégration des immigrés, ou coexistence pour de bon de deux États en Israël/Palestine. Habiller des conflits d'intérêts géo-économiques en affrontements civilisationnels, imputer à la « religion radicale » telle ou telle insurrection populaire contre une invasion étrangère, sans se demander ce qui peut bien radicaliser la religion islamique, et à quoi est dû le vide d'État auquel l'omniprésent repli communautaire sert de substitut, n'est-ce pas prendre des vessies pour des lanternes ? Dans l'instrumentation du spirituel, le cas échéant, les agnostiques aux manettes peuvent fort bien rivaliser avec les fous de Dieu. Quoi qu'il en soit, ce ne sont pas les « acteurs non-gouvernementaux » qui doivent courir après les officiels. Ce serait plutôt aux gens de gouvernement qui ne gouvernent plus grand-chose à s'enquérir des travaux des chercheurs, s'ils veulent échapper à l'impuissance de la puissance et cesser de jouer avec le feu en embrasant des passions collectives, en réveillant des clivages ancestraux, des lignes de fracture historique dont ils n'avaient pas idée ou sous-estimaient la force. Ce qui amène d'ailleurs chaque décennie nos matamores à se casser les dents sur des acteurs non répertoriés dans l'Annuaire des Nations unies, comme les communautés confessionnelles ou les ethnies, sujets historiques souvent transfrontaliers, infra- et supra-étatiques (que sont, par exemple, les Chiites, les Alévites, les Druzes, les Alaouites, etc.). Tant il est vrai que « la société civile » ne se réduit pas partout au trinôme ONG-entreprises-médias.

Le rôle de déterminant en dernière instance que le XIXe marxiste prêtait au facteur économique, comme le XXe libéral l'a fait au politique, le facteur culturel, qui englobe le religieux, le remplira très probablement dans le siècle qui s'ouvre. Et cela fera de ce dernier, contre toute attente, le siècle des minorités. Le contraire de ce qu'avait prévu Chaplin dans *Les Temps modernes* où le générique nous montre un troupeau de moutons anonymes allant et venant entre l'usine et la maison. Au Proche et Moyen-Orient en particulier, la culture, ce n'est pas la fioriture, c'est la charpente, pas la super- mais l'infrastructure. Les forces morales qui sur le terrain annulent une supériorité technologique chez un agresseur ou un occupant, découlent et dépendent de matrices culturelles immémoriales, bien en amont de l'actualité immédiate. Imaginez combien de morts en Irak et en Afghanistan, y compris Américains, auraient été évités, s'il y avait eu à la Maison-Blanche un groupe d'hommes et de femmes tant soit peu instruit des enquêtes de terrain, d'histoire des mentalités, de géographie humaine, d'histoire des religions et d'anthropologie, je veux dire de connaisseurs non égarés, comme un Bernard Lewis, par la passion sectaire ou les comptes à régler. On pourrait sans doute en dire autant des dirigeants soviétiques d'hier et russes d'aujourd'hui. Dans un monde où remontent avec force les identités symboliques et les imaginaires collectifs, l'inculture et les vues à court terme des irresponsables que l'on continue benoîtement de qualifier de responsables vont faire couler de plus en plus de sang.

II

Vous avez bien voulu me confier le soin d'inaugurer votre réunion pour vous rendre compte de quatre séminaires que nous avons tenus, ces derniers mois, avec l'ambassadeur Jacques Huntzinger, les postes diplomatiques français, et le soutien de la Commission européenne, à Jérusalem, Amman, Beyrouth et Damas. Après la conférence de Paris, le président de la République française, Jacques Chirac, m'a en effet chargé de faire rebondir la première réunion de l'Atelier « Dialogue des peuples et des cultures », du mois de septembre 2006, en conduisant une enquête sur les coexistences ethno-religieuses au Proche-Orient « par une démarche sans exclusive conduite auprès de tous les secteurs d'opinion ». C'est ce qui nous a amené dans ces diverses capitales à réunir un petit nombre de spécialistes, à bureau fermé, sans publicité, pour mettre à plat les questions qui nous divisent le plus, entre nos deux rives, sans céder à la verbosité œcuménique. Le repérage des différences, l'exploration calme des incommunicables ou des faux frères linguistiques, la mise en évidence des *a priori* de chacun, doivent servir en effet de préalable à tout dialogue sérieux, et non de notes en bas de page. Le pari pour nous consistait à parler de tout ce qui fâche sans se fâcher. Ce pari, je crois, a été tenu.

À Jérusalem (février 2007), nous avons affronté la question des Lieux Saints, puisque c'est sur ce casse-tête qu'ont toujours échoué, *in extremis*, les négociations de paix. Les représentants des trois religions monothéistes ont donc confronté leurs points de vue, avec des archéologues, des juristes et des diplomates. D'où il est ressorti, pour résumer, que la proposition d'éventuels arrangements ou garanties internationales pour les lieux saints (liberté d'accès et statut des religieux) ne saurait être acceptée dans l'état actuel de défiance réciproque, qu'*après*, et non *avant*, un accord politique sur un partage de souveraineté dans la ville sainte.

À Amman, la question posée était comment résoudre la tension entre tradition religieuse et modernisation socio-politique, et elle fut débattue entre toutes les sensibilités, des Frères musulmans jusqu'aux laïcs du monde arabe, Maghrébins en particulier, à partir d'une série d'interrogations pratiques. *La nature et l'articulation du champ juridique* : quels rapports entre la Charia, la loi civile et les coutumes tribales ? *La liberté d'interprétation des Écritures sacrées* : qui est autorisé à interpréter les textes religieux ? *Le rôle et la place des acteurs du changement* : mouvements de femmes, associations professionnelles et partis politiques ? Les attraits et les faiblesses du modèle occidental : les impasses du néo-colonialisme, et la retombée de la guerre irakienne ? *L'influence des nouvelles technologies de communication* : Internet, télévisions satellitaires, etc., avec leurs effets induits, parfois paradoxaux ?

À Beyrouth (mars 2007), fut examiné par des intellectuels libanais de tous bords, du Hezbollah jusqu'à l'actuelle majorité, et en toute discrétion, comment l'on pouvait passer concrètement « des réalités communautaires à l'idéal citoyen » pour déconfessionnaliser autant que possible la vie politique. Par quelles étapes intermédiaires, en franchissant quels obstacles, et sur quels dossiers prioritaires ? Furent donc passées en revue les questions liées aux rapports entre statuts personnels et législation civile, entre droits économiques et sociaux et libertés politiques, entre citoyenneté et nationalité (*quid* des Libanais émigrés et des réfugiés palestiniens ?), entre une histoire nationale et les mémoires communautaires (dans le domaine éducatif notamment). Un certain nombre de pistes concrètes ont été collectivement dégagées, et transmises aux responsables politiques des deux camps en présence.

En Syrie (mars 2007), l'atelier avait pour thème *Laïcité et citoyenneté*. Il a réuni, en quatre sessions, et avec des débats forts vifs, côté syrien, une quinzaine de personnalités de haut niveau et de toutes tendances, plus une dizaine d'intervenants français et européens. Ce fut l'occasion de souligner la diversité des voies pouvant conduire à la séparation du politique et du religieux, le rôle décisif du sentiment patriotique, de l'éducation, et les problèmes d'ordre public que pose la tolérance ou plus exactement, la liberté de conscience. Si la laïcité, l'expérience l'a prouvé (Turquie, Tunisie), n'est pas nécessairement couplée avec la démocratie, le découplage non plus n'est pas une obligation...

Quelques-uns de ces débats, notamment sur la gestion des lieux saints, musulmans, chrétiens et juifs, donneront lieu bientôt à publication. Il est évidemment impossible de résumer des rencontres aussi franches et aussi riches en quelques mots, mais il faut souhaiter que ces séminaires, ou ces conclaves (si le mot est permis) se multiplient à l'avenir, pour autant qu'y prennent pleinement part toutes les parties prenantes à la vie intellectuelle, artistique, religieuse et politique du pourtour méditerranéen.

Maintenant, permettez-moi un petit examen de conscience sur la signification de cette formule pieuse, le dernier dogme d'un monde sans dogme, à la fois cri de détresse et protestation contre la détresse, je veux dire : « le dialogue des cultures ». Que veut dire ce *mantra*, et que faire pour qu'il ne tourne pas à l'exutoire, voire à l'exorcisme ?

III

Commençons par *culture*, un de ces mots qui ont plus de valeur que de sens, plus d'usage que de clarté et dont on a compté jusqu'à cent définitions possibles. Par étymologie (*colere*, faire pousser, cultiver), il se situe entre *culte* et *agriculture*... Dans « la faune des choses vagues », il figure parmi les plus dangereux, parce que matière a d'infinis quiproquos. Il est valorisant pour les uns et dévalorisant pour d'autres, moins estimable que *religion*. Par exemple, quand le Vatican a rattaché le *Conseil pontifical pour le dialogue interreligieux* au *Conseil pour le dialogue entre les cultures*, le changement d'appellation a été vécu comme une *diminutio capitis*, une dégradation dans le monde musulman. Ce qui a depuis conduit le Saint Siège à revenir sur cette subordination. Preuve qu'on ne met pas les mêmes choses sous les mêmes mots. Nous distinguons, nous, Occidentaux, entre Chrétienté et Christianisme, et personne ne fera l'injure au pape Benoît XVI et encore moins à Jean-Paul II, de leur attribuer une quelconque responsabilité dans les croisades pétrolières de M. Bush. Mais pour beaucoup, dans le regard arabe, les Occidentaux restent des Croisés, agissant au nom d'une religion. Pourtant, nous savons bien que le christianisme n'est plus une politique et encore moins une confédération. Il n'y a pas d'Organisation des États chrétiens, mais il y a une Organisation des États islamiques (OCI). L'Islam, lui, reste une civilisation au sens plein, ce qu'était la Chrétienté au Moyen Âge. Le terme désigne à la fois un état de société, une religion, un mode de vie et un ensemble de pays. Et quand apparaît, au Danemark, une caricature de Mahomet, nous sommes tout surpris de voir qu'il n'y a pas que les imams qui prennent la mouche, mais aussi tous les humbles, au sud de la Méditerranée et ailleurs, pour qui un prophète religieux occupe la place à la fois banale et sacrée du Père de famille.

Dans le langage courant, *culture* désigne chez nous la culture de l'esprit, le travail personnel d'un *individu* sur lui-même. C'est le sens « ministère de la Culture » ou « lieux de culture » – musées, théâtres, cinémas, concerts. *Civilisation* désignant de son côté une réalité *collective* et plus profonde, à la fois mentale et incarnée, gastronomique, érotique et rythmique. Nous sommes ici, je crois, pour parler des deux versants, mais il faut entendre par culture, au sens fort, tout ce qu'une société *s'accorde à tenir pour réel*, et qui la définit. Car nous ne donnons pas le même degré de réalité aux mêmes choses, et cet indice éminemment variable dépend du prisme formé par l'ensemble des relations qu'un groupe d'hommes historiquement constitué entretient avec l'espace, le temps, la terre, l'autre sexe et la mort. Si on regroupe ainsi sous le terme *culturel* tous les suppléments de bagage ajoutés par l'histoire des civilisations au programme génétique et invariant de l'espèce, il faut pousser l'analyse plus loin, étant donné que son équipement technique fait également partie de ce supplément patrimonial. D'où la question devenue névralgique pour des sociétés remuées de fond en comble par les séismes technologiques en cours : comment le fait de culture se distingue-t-il du fait technique ?

En un mot, le *one world* techno-économique semble s'opposer à la multiplicité des mondes culturels, comme le planétaire au vernaculaire et le toujours-nouveau au toujours-le-même.

Je m'explique.

Nos systèmes techniques couvrent un espace de plus en plus vaste avec une durée de vie de plus en plus courte ; alors que nos cultures nationales sont des insistances de longue durée, mais circonscrites à un territoire localisé. À Pékin, comme à Damas ou Jérusalem, on trouvera en l'an 2007 les mêmes escalators, les mêmes tubes cathodiques, portables et computers qu'à Séville ou Paris. En revanche, le Parisien et le Sévillan se sentiront dépaysés à Jérusalem par les *caractères hébreu*, à Damas par les *caractères arabes* et les *chants du muezzin*, ainsi qu'à Lima par le *hochement de tête* de l'Indien péruvien qui là-bas ne veut pas dire « oui », mais « non ». Un Occidental bon teint en 1907 aurait buté sur les mêmes caractères, la même cuisine et le même geste, avec un même sentiment d'étrangeté. Par où l'on voit que le progrès, qui a un sens précis en matière technique et scientifique, n'a pas le même en matière culturelle. La culture fractionne l'espèce humaine en personnalités non interchangeables – ethnies, peuples et civilisations –

alors que la technique l'unit, en rendant nos objets inter-opérables. Les lieux de mémoire et la mémoire des lieux favorisent l'ethnocentrisme ; les épidémies de « dernier modèle », téléphone tri-bande, écran plasma ou 4x4, alimentent le cosmopolitisme. Leur fonctionnement n'étant pas liés à une terre, langue, ou religion particulière, Airbus, satellites et centrales nucléaires sont de parfaits nomades. L'espace des mœurs, des langues et des mythes, lui, est autochtone et fortement polarisé. Le code-barres voyage partout, non les caractères d'écriture. Et on unifie plus facilement les marchés que les calendriers, les climatiseurs que les manuels d'histoire. Le temps est infiniment plus difficile à maîtriser que l'espace.

Résumons.

1/ Une technique ancienne ou nouvelle est universalisable, non une culture. La norme standard unifie selon le plus petit commun dénominateur. Pour faire image, il y a trois mille langues parlées dans le monde, et seulement trois écartements de rail pour les voies ferrées, deux voltages électriques pour nos appareils, et une seule Organisation de l'Aviation civile internationale (OAC) téléguidant dans un même code technique, l'anglais, tous les aéronefs.

2/ La technique est le lieu du progrès, avec des cliquets d'irréversibilité (de non-retour en arrière), mais qui n'ont pas cours dans le temps culturel. Après l'invention de l'artillerie, aucune armée ne s'est dotée d'arbalètes ; après le chemin de fer, cochers et diligences ont disparu. Mais nos rites, notre langue, nos structures familiales n'ont pas fondamentalement changé. Le Coran et la Bible non plus. L'histoire culturelle n'est pas fléchée vers l'avant.

En d'autres termes, nous *habitons* une culture, non une technique. Nous habitons une langue, mais nous nous *servons* d'un Mac. Internet structure le monde comme un réseau, c'est un fait. Mais structurer le réseau comme un monde, c'est une tout autre affaire. Un monde, je veux dire une mémoire partagée, un territoire, une langue commune. L'illusion technocratique était là : un réseau d'autoroutes et de chemins de fer était absolument nécessaire pour faire l'Europe, et absolument insuffisant pour créer un quelconque sentiment d'identité. Un système technique ne crée pas un sentiment d'appartenance : il est universel, mais il n'a ni physionomie ni saveur ni peau.

C'est dire combien la culture n'est pas le lieu naturel de la confluence et de l'harmonie. Ce rôle est rempli par la science et la technique, grand bien nous fasse, et il est réjouissant de savoir, par exemple, qu'il puisse exister, sous les auspices du Prix Nobel Cohen Tannoudji, une Organisation scientifique Israélo-Palestinienne (IPSO), mais elle n'a pas son répondant dans d'autres domaines. La culture est le lieu naturel de la confrontation, puisque c'est la forge de l'identité, et qu'il n'y a pas d'identité sans un minimum d'altercation avec un autre que soi. Quoi qu'on fasse et dise, un *nous* se pose en s'opposant à un *eux*, comme le *moi* à un *non-moi*.

IV

De quoi parle-t-on maintenant quand on dit *dialogue* ? D'abord, de quelque chose qui n'a de sens et d'intérêt que si elle met en relation des gens qui pensent et sentent différemment les uns des autres. S'il s'agit de papoter entre soi, au sein d'une élite mondialisée d'humanistes et de libéraux à la mode occidentale pour s'autocongratuler sur la démocratie et les droits de l'homme, les peuples seraient en droit de hausser les épaules. Il faut là-dessus que les choses soient claires. Les relations internationales traversent en ce moment une curieuse période. Comme le remarquait récemment Hubert Védrine, les États dominants, États-Unis en tête, pensant avoir gagné la bataille de l'Histoire, tiennent pour superflu la politique étrangère, cet exercice qui consiste à négocier avec des gens qui ne partagent pas les mêmes idées et les mêmes valeurs que nous. Avec ceux-là, pense-t-on, il n'y a pas matière à discussion. Ce sont des voyous, et donc on les condamne, « et quand ils exagèrent, on les bombarde ». C'est peut-être un héritage subreptice de l'Empire byzantin, ce mal aimé, où l'administration chargée des relations internationales se dénommait le Bureau des Barbares, appellation qui pourrait être reprise dans certaines capitales (en oubliant que le barbare, selon une formule célèbre, est celui pour qui il existe des barbares, par nature et prédestination). Si le dialogue des cultures consiste à fournir un supplément d'âme à cette stupidité impériale, à faire contrepoint à la « guerre contre le terrorisme », cette expression absurde, à exporter notre credo sur les confins, il ne vaudra pas un pet de lapin. Nous irons bientôt à Alexandrie, tant mieux, c'est le bon chemin. Mais n'oublions pas qu'il faudra pousser un peu plus loin, et nous réunir quelque jour prochain, s'il est permis de rêver, à Gaza, à Téhéran, à Beyrouth, à Damas, sans oublier Kaboul et Bagdad.

Ensuite, pour dialoguer, il faut donner et recevoir. Avoir quelque chose à *donner* à l'autre, c'est-à-dire savoir d'où l'on vient soi-même, avoir à la fois conscience et orgueil de ce que notre histoire et notre géographie ont fait de nous. Des gens déculturés, sans colonne vertébrale, même animés de bons sentiments, sont inaptes à l'exercice. Mais on doit aussi avoir l'humilité de *recevoir*, sans croire qu'on occupe un point surplombant l'histoire et qu'on est là pour faire rentrer l'interlocuteur dans le droit chemin. Ne peut dialoguer celui qui estime avoir un droit d'aînesse ou des droits divins sur le vrai, le bon et le beau. Qui tient que l'autre est par définition dans l'erreur n'a évidemment pas intérêt à écouter un point de vue opposé au sien. Un dialogue n'est pas le face-à-face d'un camp contre l'autre, où chacun croit devoir dire *nous* et non *je*, et défendre en chargé de mission une volonté de puissance contre une autre. Un dialogue devient sérieux quand le respect mutuel va au-delà de la simple civilité, et quand, comme disait Paul Tillich, « le dialogue avec l'autre est en même temps un dialogue avec soi ». Quand on est assez généreux ou lucide pour comprendre que les éléments qui sont en l'autre sont aussi, pourraient ou auraient pu être en nous-mêmes. Nous voilà loin du *political training*, où la pensée correcte vient apprendre aux indigènes du sud et de l'est à penser et parler aussi bien qu'en métropole. Rien à voir non plus avec les mises en demeure imprécatoires ou ressentimales pour lesquelles seul le Nord est coupable, et de tout. Nous sommes ici solidaires et co-responsables, pour tâcher de rendre, malgré et avec toutes nos différences, notre monde commun un peu moins meurtrier qu'il n'est déjà.

Or *viable*, il le devient de moins en moins. Parallèlement au réchauffement climatique en cours, et peut-être pas sans rapport avec lui, le climat entre les groupes humains se détériore sérieusement. L'écologie culturelle ne se porte pas mieux que l'autre, en dépit de nos belles résolutions. D'où vient qu'il y a urgence à briser les murs, à lancer les passerelles, à forcer les portes, quels qu'en soient les coûts d'opinion à court terme.

Les raisons ne manquent pas.

J'en évoquerai trois. La première, le nombre. La deuxième, le renouveau de l'archaïque commandée par le progrès technique. La troisième, la balkanisation inhérente à la mondialisation.

1/ D'abord, le nombre croissant d'êtres humains sur Terre. On ne peut pas parler de démocratie dans l'abstrait, sans parler démographie. Les deux ne sont pas en raison inverse l'une de l'autre (pensons à l'Union indienne), mais nombreux les anthropologues qui ont pu qualifier de catastrophe (et pour certains de catastrophe *absolue*) la croissance démographique exponentielle du XXe siècle. 1,5 milliards d'individus en 1900, 6 milliards en 2000. C'est l'événement majeur, d'autant qu'il se lie avec la révolution des transports. « La liberté n'est ni une invention juridique ni un trésor philosophique, propriété chérie de civilisations plus dignes que d'autres parce qu'elles seules sauraient la produire ou la préserver. Elle résulte d'une relation objective entre l'individu et l'espace qu'il occupe, entre le consommateur et les ressources dont il dispose » (*Tristes Tropiques*). Chacun sait ce que doivent les conflits armés, voire les suicides collectifs, à la combinaison entre effondrement écologique et engorgement démographique. Il suffit de passer trois jours sur le territoire de Gaza pour en prendre la mesure effarante (500 000 habitants en 1984, 1 400 000 en 2007). Au Darfour, la désertification a joué un rôle majeur comme en Haïti la déforestation. Un pays devenu ingouvernable est d'abord un pays devenu inhabitable et la dégradation des sols annonce celle des comportements. Mais surtout, les déplacements massifs et le brassage de populations multiplient, avec les surfaces de contact, les occasions de friction, les irritations mutuelles, et les fondamentalismes sont pour beaucoup des maladies de peau. Une planète-ville ou la ville cosmique n'est pas un gage de cosmopolitisme, bien au contraire. Un habitant de la planète sur dix, en 1900, était citadin ; un sur deux aujourd'hui, 4 fois plus qu'en 1950, 3,3 milliards. 5 milliards en 2030. Le monde arabo-musulman a vu le nombre de ses citadins multiplié par cinquante en un siècle. Ne peut-on définir l'intégrisme comme la culture des déculturés ou le retour à la terre des déterritorialisés ? Qu'il s'agisse des loubavitch, des charismatiques ou des « barbus », l'effervescence messianique ou le prurit orthodoxe touchent d'abord les immigrants en situation précaire, les ruraux transplantés des bidonvilles et des camps de réfugiés en bordure des métropoles, et les délocalisés de fraîche date, dès lors qu'on ne leur fait pas une place. Il semble bien, décidément, que l'Histoire nous reprenne d'une main ce qu'elle nous accorde de l'autre : ouverture par les moyens de la mobilité physique, clôture par les moyens de la mémoire culturelle.

Jamais les hommes n'ont eu plus d'appareils à communiquer, jamais la planète ne s'était autant et aussi rapidement rétrécie, et pourtant jamais les murs de séparation n'ont autant proliféré (Israël, États-Unis, Irak, Espagne, Irlande, Inde, etc.), et jamais, sous ou à cause de la culture de masse, l'histoire de l'humanité ne s'est autant morcelée en mémoires agressivement concurrentes. On voit se multiplier, « seuil de tolérance » ou pas, des réflexes quasi-immunitaires, une volonté nouvelle de sauvegarde identitaire (par exemple, en France, le « ministère de l'Intégration, de l'Identité nationale et de l'Immigration »), qui n'auraient pas été envisageables il y a encore trente ans. Et chez les populations minoritaires, ghettoïsées et discriminées, un renforcement préventif des traits identitaires ancestraux, réflexe à la fois de fierté et d'auto-défense. Des deux côtés, donc, le fossé se creuse. Chacun dans son quartier, avec ses écoles, ses cafés, son uniforme ethnique, ses télés, ses radios et ses marques. Ce n'est pas à dire que l'intégration, au nord, ne progresse pas, en particulier en France, (avec le nombre croissant de mariages mixtes) mais simplement qu'elle ne va plus de soi.

« Il n'y aura de solution fondamentale entre nos peuples, disait l'orientaliste Jacques Berque, grand avocat de la Méditerranée plurielle, dans les années 1960, qu'à l'échelle conjointe de l'arabisme et de la latinité ». Or *l'arabité* au sud n'est plus un étendard de ralliement, remplacé qu'il est, depuis vingt ans, par *l'islamité*. Et la latinité au nord ne se porte pas très bien (en supposant que le mot ne soit pas un gallicisme idéologique), y compris dans les pays latins, bousculée qu'elle est par le vent d'Atlantique, qui souffle fort, et même d'est en ouest ! L'arabisme stipulait une communauté de destin entre Musulmans et Chrétiens d'Orient. Elle est plus que compromise et les derniers sont en voie d'éviction. La latinité stipulait une Europe tournée vers sa rive sud. Elle a basculé vers l'est et vers le nord. Ce sont là des réalités. Il y a des problèmes économiques et commerciaux qu'on peut traiter dans le calme entre pays du Maghreb et Espagne, France, Italie. Le Machrek, lui, suscite des passions religieuses ou idéologiques et donc des blocages de part et d'autre.

Au nord de la Méditerranée, les appartenances collectives sécularisées ont décollé des traditions religieuses ; les cartes d'identité grecques ne font plus mention de la religion, les crucifix sont retirés des écoles publiques en Espagne, et en France la loi sur l'interdiction des insignes religieux dans l'école laïque a été votée à l'unanimité par l'Assemblée nationale. Le culte est devenu une affaire de culture, et l'enseignement du fait religieux est dégagé de toute obligation de croyance ou d'inculcation dogmatique. Au sud au contraire, et mise à part une mince élite, les mentalités collectives et les légitimités étatiques semblent se rabattre de plus en plus massivement sur le fédérateur religieux. Les petits-enfants, dans les familles, sont souvent plus pratiquants que les grands-parents (qu'ils soient juifs, arméniens, chiites ou sunnites). Il y a là un déphasage entre deux univers mentaux qui, lorsque la foudre des images, parabole oblige, s'associe au choc des ignorances, peut engendrer de grandes violences, qu'on peut appeler des confrontations par malentendu.

2/ La sociologie a longtemps cru que l'humanité s'était coupée de la route des dieux ou du surnaturel quand elle s'est coupée de la terre, des troupeaux et des étoiles. Et que les *cultes* disparaîtraient avec l'*agriculture*, c'est le même mot (*colere*). En Occident, on comptait en 1900, 79% d'agriculteurs et en 2001, 2,2%. La Méditerranée a perdu ses cultures en terrasse, ses bergers et depuis qu'on ne saigne plus la résine et qu'on n'essarte plus les broussailles, les forêts flambent chaque été. Nos grandes religions agraires, c'est vrai, sont nées du cycle cosmique et du calendrier des récoltes. Notre rapport à la terre a entièrement changé depuis le Néolithique ; et pourtant, nous ne sommes pas automatiquement devenus agnostiques. Au contraire, le renouveau ou le redéploiement des religiosités (plus qu'un simple retour à l'ancien) n'épargne pratiquement plus que le petit cap occidental de l'Asie (l'Europe + le Québec). Le nombre de régimes séculiers dans le monde régresse et les Constitutions qui ne mentionnent pas Dieu également. Nous voilà face à une modernité assaillie d'archaïsmes, pas seulement du dehors, mais *du dedans*. Les avions suicides du 11 Septembre n'ont pas décollé d'un désert ou d'un îlot perdu, mais de Boston, Massachusetts. Tel est le nœud, l'énigme de l'époque.

La déconvenue du jour s'annonçait, dès les années 1970, au Caire, à Alger, à Tunis, lorsque la brèche islamiste en milieu estudiantin apparut d'abord dans les écoles techniques, les facultés d'ingénieurs ou de médecine et enfin les universités scientifiques. Dans les secteurs de pointe de la modernité, les plus émancipés. Surprise. Le religieux n'était-il pas du côté des terroirs, des grimoires et des grands-mères ?

On s'était fourvoyé. Notre vision unilinéaire de la modernité était plus proche du XIXᵉ des chemins de fer en ligne droite que du XXIᵉ des ordinateurs en réseau. Il est déraisonnable de sommer les pauvres gens de choisir entre la carte bleue et la carte d'identité. On s'est imaginé que la première ferait oublier la seconde. Ou bien ceci ou bien cela : c'était une naïveté d'économiste. Les deux demandes vont de pair, et à proportion. Chaque déséquilibre suscité par un progrès technique provoque une manière de rééquilibrage ethnique spontané, comme si fonctionnait dans l'inconscient collectif un véritable thermostat de l'appartenance. Le nivellement des couleurs locales et le béton des bords de mer suscitent en retour les fureurs patrimoniales et mémoriales, comme la diffusion des connaissances positives galvanise une formidable appétence d'ancrage affectif.

3/ Enfin, la fragmentation des ensembles constitués – nations, fédérations, confédérations. Tout indique que la question des minorités culturelles va devenir la *summa divisio*, la ligne de partage dans chaque pays, et entre voisins. Pas plus que Dieu ramené par la puce (la *chip* de nos ordinateurs), le retour des langues régionales ou liturgiques (comme l'hébreu ou l'arabe classique) suscité par le *pidgin english* universel n'était pas non plus prévu au programme. Ni le programme du village global à la McLuhan, ni celui du socialisme international, ni celui du *Global shopping center*. La mondialisation techno-économique s'avère être une balkanisation politico-culturelle. Comme si à chaque « bond en avant » dans les outillages, correspondait un « bond en arrière » dans les réflexes. Le *progrès rétrograde*, nous lui donnons en médiologie le nom plaisant d' « effet jogging ». Au début du siècle, certains visionnaires avaient pronostiqué que l'usage immodéré de l'automobile par les citadins provoquerait bientôt l'atrophie de leurs membres inférieurs, le bipède motorisé se désaccoutumant de la marche. Qu'a-t-on vu depuis ? Ceci : depuis que les citadins ne marchent plus, ils courent. Fanatiquement, et des beaux quartiers jusqu'aux banlieues.

Ce « retour de flamme » donne un redoutable coup de vieux à la rassurante géopolitique des blocs, avec la remontée en force des indigénismes, nationalismes et séparatismes. Un plus de modernité s'accompagnant en général d'un plus d'archaïsme, une nation élective évoluée peut redevenir paradoxalement une nation ethnique, et la concitoyenneté, consanguinité.

Ne voit-on pas dans nombre de démocraties des partis ethno-culturels supplanter peu à peu des formations laïques anciennement dominantes (Israël, Inde, Turquie) ? Les melting-pots se grippent. Aux différences de classe, s'ajoutent, ou se substituent les pires de toutes : les différences d'origine, qui peuvent aller jusqu'au sinistre « coupable d'être né ».

VI

Et pourtant, il faut attacher du prix à tout ce qui nous sépare, et qui n'est pas odieux. Quel « dialogue des cultures » pourrait-il exister sans le maintien entre elles d'un jeu minimal de différences, à défaut de quoi il n'y aurait plus échange, mais ankylose, monologue et atonie ? Nous devons rendre grâce aux écarts différentiels. « La civilisation, rappelle encore Lévi-Strauss, implique la coexistence de cultures offrant entre elles le maximum de diversité, et consiste même en cette coexistence ». Il est heureux à cet égard de se retrouver en Andalousie, ce symbole plus ou moins enjolivé par la légende mais réel, de cette coalition entre joueurs différents, en l'occurrence, juifs, chrétiens et musulmans, qui seule permet les avancées.

Le pire pour une culture, chacun le sait, est de rester seule. C'est-à-dire stationnaire, en voie d'appauvrissement. C'était le sort fatal de certaines ethnies primitives, restées au stade néolithique, insuffisamment développées, qui mouraient d'homogénéité. Ce pourrait être le sort aujourd'hui d'une culture euro-américaine, parlant au nom de l'Occident tout entier, trop imbue de ses formules propres pour pouvoir compter jusqu'à deux et trois encore moins. Sa faiblesse, à terme, résiderait dans sa force même. Une culture souffrant d'hypertrophie, et se prenant pour le nec plus ultra de *la* Culture, qui, à force de répandre son mode de vie et ses façons de calculer à tous les autres cantons de l'humanité, n'aurait plus qu'à se regarder dans la glace, faute d'étrangers à qui parler, et surtout à écouter. Le chiffre un est souvent un étouffement de l'esprit. Pensons aux hommes d'un seul livre. Le chiffre deux, parfois une malédiction. Pensons aux intoxiqués de la lutte finale. À trois, la liberté commence à respirer. Pensons à l'âge d'argent, sinon d'or, andalou.

Et c'est bien parce qu'elle va nous aider à remonter cette pente fatale, au simplisme du *un* et au manichéisme du *deux*, que nous devons remercier la Fondation des *Trois* Cultures, Enrique Ojeda, André

Azoulay et son adjoint Mohammed Ennaji, de nous avoir réuni à l'écart des stéréotypes. Avec nos différences clairement assumées mais aussi la ferme décision de les rendre, par l'entrechoquement des idées, aussi fécondes que possible.

Régis DEBRAY

DU MÊME AUTEUR

Bibliographie succinte

Œuvres littéraires

Journal d'un petit bourgeois entre deux feux et quatre murs, Le Seuil, 1976.

La neige brûle, Grasset, 1977 (prix Femina).

Les Masques, une éducation amoureuse, « Le temps d'apprendre à vivre » I, Gallimard, 1988 ; « Folio » n° 2348, Gallimard, 1992.

Loués soient nos seigneurs, une éducation politique, « Le temps d'apprendre à vivre » II, Gallimard, 1996 ; « Folio », n° 3051, Gallimard, 2000.

Par amour de l'Art, une éducation intellectuelle, « Le temps d'apprendre à vivre » III, Gallimard, 1998 ; « Folio », n° 3352, Gallimard, 2000.

Le Siècle et la Règle. Une correspondance avec le frère Gilles-Dominique o.p., Fayard, 2004 (prix François Mauriac).

Le Plan vermeil, Gallimard, 2004.

Julien le Fidèle ou Le banquet des démons, théâtre, Gallimard, 2005.

Aveuglantes Lumières, Journal en clair-obscur, Gallimard, 2006.

ŒUVRES PHILOSOPHIQUES

Le Scribe, Genèse du politique, « Biblio Essai », n° 4003, Grasset, 1980.

Critique de la raison politique ou l'inconscient religieux, « Bibliothèque des Idées », Gallimard, 1981 ; Tel n° 113, Gallimard, 1987.

Vie et mort de l'image, une histoire du regard en Occident, « Bibliothèque des Idées », Gallimard, 1992 ; « Folio Essais », n° 261, Gallimard, 1994.

I.f. Suite et fin, Gallimard, 2000.

Dieu, un itinéraire, Matériaux pour l'histoire de l'Éternel en Occident, Odile Jacob, 2002.

L'Enseignement du fait religieux dans l'école laïque, rapport au ministre de l'éducation nationale, Odile Jacob, 2002.

Le Feu sacré, fonctions du religieux, Fayard, 2003.

Les Communions humaines. Pour en finir avec « la religion », Fayard, 2005.

ŒUVRES MÉDIOLOGIQUES

Le Pouvoir intellectuel en France, Ramsay, 1979 ; Folio n° 43, Gallimard, 1989.

Cours de Médiologie générale, « Bibliothèque des Idées »,
Gallimard, 1991.

L'État séducteur, les révolutions médiologiques du pouvoir, Gallimard, 1993.

Transmettre, Odile Jacob, 1997.

Introduction à la médiologie, P.U.F, Premier Cycle, 1999.

CRITIQUE D'ART

Éloges, Gallimard, 1986 (recueil d'articles).

Vie et mort de l'image, une histoire du regard en Occident, « Bibliothèque des Idées », Gallimard, 1992 ; « Folio Essais », n° 261, Gallimard, 1994.

L'Œil naïf, Le Seuil, 1994.

Sur le pont d'Avignon, Flammarion, « Café Voltaire »,
novembre 2005.

ŒUVRES POLITIQUES

La Puissance et les rêves, Gallimard, 1984.

Les Empires contre l'Europe, Gallimard, 1985.

À demain de Gaulle, Gallimard, 1990 ; « Folio », n° 48,
Gallimard, 1996.

La République expliquée à ma fille, Le Seuil, 1998.

L'Édit de Caracalla ou Plaidoyer pour des États-Unis d'Occident, par Xavier de C***, Fayard, 2002.